GRAND-MAMAN

PAR MERCER MAYER
LES PRESSES D'OR

©1983 Mercer Mayer. Tous droits réservés.
©1996, **LES PRESSES D'OR**, Montréal, pour la présente édition.
Titre original : JUST GRANDMA AND ME. ISBN : 0-307-61893-5.
Imprimé au Canada. ISBN : 1-552250-00-8. Dépôt légal 3e trimestre 1996.
Bibliothèque nationale du Québec
Bibliothèque nationale du Canada

Aujourd'hui nous allons à la plage, Grand-maman et moi.

Je veux installer le parasol, mais...

le vent souffle trop fort.

Alors je fais voler
mon cerf-volant.

J'achète des hot-dogs pour
Grand-maman et moi
mais ils tombent par terre.
Je les lave pour enlever le sable.

Je trouve un joli coquillage
pour ma grand-mère,
mais il y a un gros crabe dedans !

Je veux gonfler ma bouée mais
je n'ai pas assez de souffle.
Grand-maman m'aide un peu.

pas trop loin.

Je mets mes palmes et mon masque
et je montre à ma grand-mère
comme je nage bien sous l'eau.

Grand-maman s'allonge dans le trou que j'ai creusé. Je la recouvre de sable et je lui chatouille la plante des pieds !

Je construis un château de sable pour Grand-maman mais une grosse vague arrive !

Grand-maman dit que c'est toujours comme ça avec les châteaux de sable. Demain, nous en construirons un autre.

Grand-maman est fatiguée. Je lui dit
de se reposer. Je la préviendrai
quand nous serons arrivés.

Nous nous sommes bien amusés,
Grand-maman et moi.